D1108433

Para Erie y María Agusto
con bastante aprecio
1/VIII/87

Jorge Anhalzer

Este libro con especial dedicación de su autor,
para nuestros queridos Wollmann Salazar.

Frank, Lyliana, Pamela, Sebastián
Wollmann Jirón.
Quito, Agosto de 1.987

Frank

ECUADOR
TIERRAS ALTAS

Jorge Anhalzer V.

Primera edición, 1987
Diseño Gráfico: Azuca
Imprenta Mariscal
Quito, Ecuador

ISBN 9978-9901-1-9

ECUADOR TIERRAS ALTAS

Edición Mariscal

INTRODUCCION

Este libro es sobre todo una colección de fotos captadas en correrías por las montañas, los páramos y las estribaciones de la cordillera. Son fotografías tomadas cada una con un diferente propósito, pero la intención básica es la misma en todas; el interés de documentar gráficamente la montaña. El libro es en realidad un álbum de fotos impreso, lo que permite que sea compartido en mayor grado que si lo tuviera guardado en un cajón obscuro. La mayoría de las gráficas de este álbum no tienen necesariamente sentido artístico, son documentos de sitios apartados, de eventos y de gente en estos lugares y de momentos especiales. Sin embargo, la naturaleza es bella y esta hermosura se trasluce pese a las limitaciones de la cámara. Hay momentos en los que contemplando los glaciares, las nubes o las estrellas, la belleza de las alturas nos es revelada. Son momentos de una rara perfección, difíciles de ser interpretados, muy alejados de la cámara, el pincel o la pluma.

Los textos que acompañan en algunos casos a cada foto, o en otros, a un grupo de ellas, son comentarios que espontáneamente nacen a cada gráfica. Algunos son explicaciones que muy superficialmente incursionan en el campo científico, otros son apreciaciones personales pero la mayoría son experiencias vividas que llegan a través de la memoria.

Arista del páramo al amanecer, Achipungo

Escaladas en los flancos de los Ilinizas

En el interior de una vieja grieta en el Cayambe

Estribaciones de los Ilinizas

Hay montañeros, algunos de ellos famosos y de comprobada capacidad, que opinan que el montañismo es una actividad sobretodo individual y que si bien es cierto que fuera del alpinismo en solitario, las ascenciones y las escaladas se realizan en la mayoría de los casos por lo menos en compañía de una persona más, esto es solamente porque así es más práctico, sin importar quien está al otro lado de la cuerda, siempre que su capacidad técnica y habilidad física superen cierto nivel. Sin embargo, hay quienes creemos que el montañismo es todo lo contrario. En los momentos peligrosos y difíciles se forjan las amistades más sólidas y duraderas. Los momentos felices en las cumbres, los atardeceres gloriosos y las largas caminatas refuerzan esos lazos.

Si este libro logra que los que conocen la montaña evoquen sus vivencias o sugiere el aire limpio de las altas cumbres y los espacios abiertos a los que no han tenido oportunidad de estar en las alturas, habrá tenido razón de ser.

En el Antizana

ZUMBAHUA

Los valles altos de Zumbahua y otros páramos
andinos están habitados por gente dura, que lleva
una precaria existencia basada en una agricultura
difícil, en suelos empinados, lejanos y fríos. La
tierra se divide en pequeñas parcelas, que son
trabajadas a mano o en algunos casos con la
ayuda de bueyes. Así el tamaño de la parcela es
más o menos la extensión que el propietario y su
familia son capaces de trabajar.
Las parcelas se trabajan en distintas épocas del
año, dependiendo de los diferentes granos a
sembrarse, así por ejemplo, la papa se la siembra
en mayo, el trigo y la cebada en enero y las habas
y el maíz a fin de año. El resultado es un hermoso y
dinámico escenario, una obra en la que el hombre
sin proponérselo ha conseguido lo que pocas veces
logra: un paisaje artificial de gran belleza.

Zumbahua, provincia del Cotopaxi

INDÍGENAS

En los declives de la montaña se aprovecha para la agricultura cualquier espacio disponible. En las empinadas laderas se abren surcos para ayudar al riego y controlar la erosión. En esta chacra a 3.500 metros sobre el nivel del mar trabajan los indígenas Chibuleos sostenidos por la invisible cuerda del viento.

Sembrío en las faldas septentrionales del Carihuairazo (5.020 m.), provincia de Tungurahua

LOS GLACIARES

Estos ríos de hielo, que a una velocidad de varios centenares de metros al año se descuelgan montaña abajo, están quedando sin caudal. No se conoce a ciencia cierta la verdadera causa, pero probablemente se debe a una elevación del promedio de la temperatura mundial o a las menores precipitaciones.
Los glaciares del Ecuador, como los del resto del mundo, están en franco retroceso. Donde hace 10 años (un instante en la medida del tiempo geológico) subimos encordados por el peligro de las grietas, hoy no queda más que arena y pedregales. Los seracs han sido reemplazados por las morrenas. A ojos de los mayores o comparándolas con fotos o grabados de otra época, parecería que las montañas se van a quedar desnudas.

GEOLOGIA

La geografía del Ecuador es compleja y la superficie de los Andes tiene el relieve de la cara de un viejo centenario. Los valles planos son pequeños, el resto son profundas quebradas y grandes montañas que se desdoblan una infinidad de veces antes de perderse en las llanuras tropicales de la costa o del oriente. El nacimiento de la cordillera debe haber comprometido fuerzas hoy en día incomprensibles; la evidencia de un pasado violento se encuentra en los taludes cavados por las máquinas que construyen las carreteras o en las laderas descubiertas por la erosión de los ríos. Las franjas en el talud de la fotografía son producto de la ''lluvia de ceniza'' proveniente de erupciones de volcanes cercanos. Cada piso es un período de erupciones diferentes y la forma por la cual estos adquirieron su forma actual, es una incógnita.

Glaciar en el Cayambe

Camino al Cayambe

ARADO

Muchos de los campos de las tierras altas del Cayambe se cultivan inclusive hoy en día a fuerza de la mano del hombre o en algunos casos con la ayuda de la yunta de bueyes. La mecanización agrícola está todavía alejada del campesino, sobre todo por motivos económicos. De todas maneras, en estas empinadas laderas, la agricultura ancestral es mucho más eficiente.

Yunta de bueyes en las cercanías del cerro Cayambe

Guachando en el Cayambe

LAS HACIENDAS

Desde el fondo plano de los valles, pasando por las laderas y las cimas de las lomas hasta llegar al páramo, la superficie del callejón interandino está cubierta por haciendas y pequeñas parcelas que dividen la tierra en un collage de matices. Desde el aire, en un avión, o, mejor todavía, desde la cumbre de una montaña, el paisaje se ve como una arrugada mesa de ajedrez sin limitaciones en colores ni en proporciones. Los suelos fértiles de las cenizas volcánicas y un clima estable, sin los rigores de otras latitudes que viven las cuatro estaciones, hacen de estas tierras zonas privilegiadas para la agricultura y la ganadería.

Paisaje en las faldas del volcán Pasochoa

Cultivos en las proximidades del Carihuairazo

CANDELARIA

Es un pueblo con nombre mágico cuya historia se
remonta a las épocas de la Colonia. En ese
entonces pertenecía a la hacienda que llevaba el
nombre de Candelaria. Está situado en una especie
de balcón. Hacia abajo, caen las laderas casi
verticalmente por varios centenares de metros hasta
el cauce del río Blanco. Hacia arriba, la loma se
alza continuamente hasta alcanzar las nieves
perpetuas. Aunque para muchos no signifique más
que un paso obligado a El Altar, brinda al viajero
facetas de gran belleza e interés, sobre todo a los
que tengan inclinación por conocer el espíritu y el
sentimiento de los pobladores de Los Andes.

El Pueblito de Candelaria, camino al Altar

CHOZAS

Existen muchos indígenas que viven en los páramos. Familias solitarias o comunidades enteras como las de Zumbahua, Osogoche, Oyacachi, Pedregal y tantas otras, habitan en estas altas regiones montañosas. Esta gente se dedica a la cría extensiva de ganado y en menor grado a la agricultura, demasiado difícil y arriesgada por el rigor del clima. Los vaqueros o chagras recorren los páramos a pie o a caballo rodeando su ganado. Algunas veces se alejan varias jornadas de sus hogares y suelen pasar la noche en tambos (pequeñas construcciones de madera, piedra o adobe con techo de paja). Estos tambos tienen diferentes proporciones y están hechos a semejanza de sus propias chozas. Son construcciones económicas, pues todos los materiales se encuentran fácil y gratuitamente. Además ofrecen un excelente aislamiento del clima y se integran al paisaje plenamente.

Chozas en el valle del río Blanco, Altar

Indígena a la puerta de su tambo, Quilimas

Chozitas de la comunidad de Atillo

Chocitas en el valle de Guaranda

LOS TAMBOS

Tambos son las pequeñas chozas construidas en madera y paja que se encuentran diseminadas por los páramos a lo largo de chaquiñanes que, descendiendo desde las tierras altas, se internan en los trópicos de la costa o el oriente. Los usan para pasar la noche los vaqueros que rodean ganado remontado, o los indígenas que viajan a través de la cordillera a otros climas. Entre un tambo y el siguiente hay generalmente una jornada larga a buen paso. Esto es porque están dispuestos por la gente del páramo o la selva, que es muy dura para caminar.

Un buen tambito es el sitio ideal para pasar una noche de páramo. Es más cómodo que una carpa y en todo sentido más ''Caliente'' que un refugio.

Tambo en los páramos de Llanganatis

CREENCIAS

Los habitantes de los valles andinos tienen una mitología muy rica en cuanto a montañas: el Imbabura es invocado por los shamanes de Costa, Sierra y Oriente como un dios todopoderoso. Las historias de noviazgos celosamente cuidados entre montañas que adquieren sexo y personalidad son numerosos.

Así mismo mucho se especula sobre tesoros escondidos en las cumbres y protegidos por seres en los cuales la montaña se ha personificado. Todavía hoy en día los indígenas de los páramos se aferran a sus mágicas explicaciones. Cuando van a la montaña, ya sea como porteadores, macheteros o guías, lo hacen dispuestos a brindar cualquier ayuda; mas todo comedimiento parecería tener un límite geográfico: la base de la montaña. Desde ahí cualquier ofrecimiento a continuar es mirado con desconfianza. Son pocos los que superando temores seculares se han aventurado en las altas cumbres.

Guía indígena en los Llanganatis

QUITO

Quito, la capital del país, se acurruca a 2.800 metros sobre el nivel del mar, en un valle rodeado de volcanes. Algunos, como el Panecillo, en el centro de la ciudad, no llegaron a nacer. Otros son jóvenes y activos, como el Cotopaxi, y hay varios ya apagados, que han acabado sus días de actividad en tremendas explosiones que transformaron sus conos en calderas inmensas. Si subimos al Pichincha, sobre la ciudad de Quito, en un instante podemos percibir la historia geológica de los Andes ecuatorianos y la evolución de los volcanes.

Sin embargo, pese a la amenazante cercanía de los volcanes y a lo catastrófico de erupciones y terremotos pasados, la vida en Quito corre por las estrechas calles antiguas o por las modernas avenidas casi indiferente al potencial peligro que la naturaleza le impone. Tal vez, el pueblo quiteño está más atento a las profecías de una santa ecuatoriana, quien dijera que a Quito no lo destruirán ni terremotos ni erupciones, sino sus malos gobernantes.

La ciudad de Quito, el Pichincha al fondo

Quito (2.800 m.) con el Cotopaxi al fondo, el Pasochoa más cerca y el Panecillo en medio de la ciudad

CAYAMBE

Sobre los 4.000 metros de altura la vida vegetal comienza a desaparecer. Las condiciones de un clima riguroso de nevados frecuentes, fríos intensos y huracanados vientos, hacen que las pocas especies sobrevivientes se agrupen en compactas colonias en las quiebras de las rocas. En estos almohadones (Hypochaeris Sp) se alberga también el lipocodio (Lypocodium Crassum), y un poco de paja de páramo.

GENCIANAS

(Gentianella cerstioides)

Las gencianas son pequeñas flores del páramo que crecen con un tallo corto que las sitúa prácticamente al ras del suelo. Casi siempre se desarrollan asociadas con los almohadones (Hypochaeris sp.), sobre todo en las partes más altas. En los sitios bajos protegidos por el pajonal, la planta desarrolla tallos más largos. Su hábitat está alrededor de los 3.000 metros.

Genciana en los arenales del Iliniza Sur a 4.200 m.

Cayambe

EUCALIPTO

(Eucalyptus globulus)

Pese a que es un árbol importado, es ya tan parte del paisaje de los valles andinos como el chahuarquero (Agave americana) o los zigzes (Cortaderia pudiuscula). La primera semilla de eucalipto llegó proveniente de Australia en el siglo XIX. Se ha expandido por toda la sierra ecuatoriana, debido a su valor comercial maderero y al hecho de que crece inclusive en suelos muy malos.

Arboles de eucalipto (Eucaliptus globulus), vía a el Altar

Arboles de eucalipto

Bosque de sauces en las cercanías de la ciudad de Cuenca

LAS ACHUPALLAS

(Puya hamata)

Crecen sobre todo en los páramos y chaparros que
descienden a los flancos de la cordillera. Son el
alimento predilecto del oso de anteojos (Tremarctos
ornatus), único representante de los úrsidos en
latinoamérica y en el hemisferio sur. El oso las
come a la manera de una alcachofa, abriéndola por
la mitad y sirviéndose el interior. Es, al decir de
muchos, una planta de buen sabor y es útil
conocerla para los momentos difíciles en caso de
extraviarse.

Achupalla en la laguna de Atillo, Ayapungo

EL FRAILEJON

(Espeletia hartwegiana)

Esta variedad, la del frailejón enano, crece a más
altura que ninguna otra planta. Su hábitat va desde
alrededor de los 4.000 hasta casi los 5.000 metros.
Se la encuentra muy cerca del borde de los
glaciares, e inclusive en zonas que permanecen
constantemente nevadas. Las hojas son gruesas y
afelpadas, característica que ayuda a la planta a
soportar el rigor del páramo.
La otra variedad es el frailejón gigante, que alcanza
la altura de un hombre. En las constantes neblinas
del páramo, estas plantas se asemejan a frailes
cabizbajos, sumidos en sus plegarias. Ahí el origen
de su nombre. Es curioso notar que la variedad del
frailejón gigante solo se encuentra en los altos
páramos que rodean al volcán Chiles, en el extremo
norte del Ecuador, y en el corazón de los
Llanganatis.

Frailejón en el Iliniza Sur a 4.750 m.

LICOPODIO

(Licopodium crassum)

Este helecho de altura se encuentra en casi todos los páramos del país. Esta planta, de tallos cubiertos de hojas, prospera entre los 3.000 y 4.000 metros de altura. Con sus colores que varían entre el rojo y el naranja, el licopodio, junto a las chuquiraguas, allpatauris, dientes de león, urcu rosas y ñachags, rompe el monótono color del páramo.

Lipocodio en los páramos del lliniza a 4.000 m.

FRAILEJONES

(Espeletia hartwegiana)

En las alturas relativamente bajas para la flora del páramo, digamos los 3.000 metros sobre el nivel del mar, las plantas tienden a crecer aisladas de otras de su propia especie. Sin embargo, conforme aumenta la altura, van uniéndose cada vez más hasta llegar a formar especies de colonias en donde están más protegidas del adverso clima. Tal es el caso de esta colonia de frailejones a casi 5.000 metros de altura, en la vertiente norte del Chimborazo.

Frailejón en la vertiente norte del Chimborazo a 5.100 m.

PAJONAL DE PARAMO

(Stipa ichu)

El viajero que se aventure en las estribaciones que rodean a los volcanes ecuatorianos, no tardará en comprender que, la palabra ''Páramo'' abarca regiones tan disímiles como los pantanos de las hondonadas, que se encuentran sobre todo en las montañas de la cordillera oriental, o los desiertos de arena de las alturas del Chimborazo. Sin embargo, la mayoría de los páramos están cubiertos por pajonal. Esta gramínea prospera sobre los tres mil quinientos metros sobre el nivel del mar, sus dominios alcanzan alrededor de los cuatro mil doscientos metros.

En julio y agosto, los meses de verano y en cualquier otra temporada seca, suelen suceder enormes incendios del pajonal, la mayoría causados por indígenas con el fin de deshacerse de las hierbas maduras y secas y lograr retoños tiernos para el consumo del ganado que pastorea en estado semisalvaje.

La planta florece generalmente al principio de la estación seca y es entonces cuando a todo el páramo se lo ve en espiga. Esta foto es un contraluz captado en la época del florecimiento en una de las altas aristas que descienden de El Altar. En esa ocasión volvíamos de la cumbre después de haber pasado varios días en esa especie de desierto que es la alta montaña, donde la roca desnuda y el hielo acaban con cualquier destello de vida. Qué gran placer entrar nuevamente en los territorios de dominio de la vida, cruzar esa bien dibujada frontera que en el Ecuador está generalmente a los cuatro mil ochocientos metros, e internarse en los páramos cubiertos de vegetación y habitados por un sinnúmero de pájaros y animales. Este cambio es todavía más marcado en aquellos casos en los que por diferentes razones, las ascenciones o escaladas en las partes altas de las

Espiga de la paja de Páramo

montañas se han visto envueltas en circunstancias dramáticas, o incluso fatales. Entonces esta frontera entre el páramo y la alta montaña se transforma en una meta, en un símbolo del mundo al cual pertenece el hombre y a dónde hay que llegar a toda costa. He llegado a sentirme de regreso en el páramo, después de una excursión particularmente difícil o peligrosa, como nuevamente en casa, como otra vez en el reino de la vida.

CHUQUIRAGUA

(Chuquiragua insignes)

La chuquiragua crece en abundancia en la mayoría de los páramos, en una franja que va aproximadamente desde los tres mil quinientos a los cuatro mil quinientos metros. Por la facilidad de conservarse largo tiempo después de cortada puede utilizarse como adorno casero. Pero, además, esta planta se ha convertido en la flor insignia de los montañeros ecuatorianos.
Los nativos de las tierras altas del Ecuador y algunos estudiosos de las plantas medicinales le otorgan ciertas capacidades curativas. Se la usa como tónico, diurético y antihelmíntico. Además se dice que ayuda en problemas hepáticos y renales. He tenido la oportunidad de probar el amargo brevaje, producto de la infusión de las hojas y las flores de la chuquiragua. Hay que confesar que se necesita mucha fe en sus poderes curativos para continuar tomándola, una vez que se la ha probado. Sobre los cuatro mil metros, la chuquiragua es una de las contadas plantas con flor. Esta sin duda es la razón por la cual el viajero puede observar algunas especies de colibrí, que alcanzan tan altas zonas en busca del polen. Aparte de estas pequeñas aves, existen pocos polinizadores vivos que ayuden a la reproducción de la chuquiragua. La misma flor naranja que atrae a los colibríes ha dado el nombre a la planta, que traducido del quichua significa ''espadas de fuego''.

Chuquiragua (Chuquiragua insignes) fotografiada en el páramo del Rumiñahui a 4.100 m.

EL CHOCHO ALLPATAURI

(Lupinus puvescens)

Esta leguminosa existe en el Ecuador en algunas variedades. La silvestre, retratada en la fotografía, subsiste en pisos climáticos muy diferentes. Se la encuentra desde los dos mil metros en forma robusta y con el tallo muy desarrollado, y hasta sobre los cuatro mil metros, donde crece con menos fortaleza. En las tierras altas se cultiva la variedad doméstica. Esta planta endémica ha alimentado secularmente a los habitantes de los Andes. Todavía hoy en día es una de las mayores fuentes de proteínas.

Allpatauri en el Rumiñahui a 4.100 m.

CONDOR DE LOS ANDES

(Vultur gryphus)

El cóndor de los Andes es el ave voladora de mayor tamaño. Su envergadura alcanza hasta los tres metros en los ejemplares más grandes. En el Ecuador habita en varias de las montañas menos frecuentadas por el hombre. Se lo encuentra en relativa abundancia en el Antizana, el Altar, la vertiente sur del Tungurahua, el Cayambe y los páramos del Voladero al norte del país. A diferencia de Perú y Chile, donde el cóndor es visto con frecuencia en los acantilados costeros, en el Ecuador no se tiene noticia de que se haya visto alguno fuera de la región de los altos páramos. Ni siquiera baja a los valles interandinos.

Su planeo en busca de comida comienza entrada la mañana. Se alimenta de carroña y animales moribundos. Es capaz de comer tanto como su propio peso de una sola vez, y así mismo puede pasar varios días sin probar bocado.

El número de cóndores en nuestro país va en constante decrecimiento, pues la especie ha sido perseguida por los campesinos -que acusan al cóndor de matar a los animales recién nacidos y a los débiles- y por cazadores inescrupulosos -que quieren lucirlo como trofeo. A esta triste situación, se suma el lento proceso de reproducción del ''Rey de los Andes'': esta ave es capaz de poner un huevo únicamente cada dos años.

Los cóndores van y vienen trazando líneas en los cielos. Lo hacen sin esfuerzo y según parece con mucho placer.

Cóndor de los Andes (Vultur gryphus)

Cóndor de los Andes

LAS LAGUNAS DE ATILLO

En los alejados y poco visitados páramos del
Ayapungo, existen una infinidad de picos y lagunas,
moldeados por antiguos glaciares. Las aguas de
este distrito sirvieron en la época de las migraciones
transhemisféricas como lugar de descanso a las
aves acuáticas, que iban de un extremo al otro del
continente escapando del invierno y en busca del
verano.

Al pie de las lagunas cruza un antiquísimo sendero,
que desde tiempos preincásicos une las alturas de
la sierra con el trópico de la amazonía. Se extiende
desde la andina población de Guamote hasta la
selvática de Macas. En su recorrido de varios
centenares de kilómetros sube desde la altiplanicie
andina hasta los páramos de Ayapungo, para luego
internarse lentamente en la selva en un sin fin de
curvas, descensos y ascensos. Para los indígenas
que lo usaron en sus caminatas en busca de
comercio y para quienes estaban acostumbrados al
limitado paisaje de la espesura tropical, debe haber
sido una experiencia especial el encontrarse con
horizontes tan abiertos y a la vez tan abruptos,
llenos de profundas quebradas, grandes glaciares,
cumbres nevadas y afiladísimos picos. No debe
haber sido menor la impresión para los aborígenes
serranos que hacían el camino en vía contraria.

Totoras en las lagunas de Atillo, Ayapungo

Camino al Achipungo atrás las lagunas de Atillo

LA TRUCHA

(Salmo airdneri)

Es una foto difícil pero posible de captar en los fríos y oxigenados torrentes de montaña, donde la trucha prospera. Es una especie introducida al país y que ahora se la encuentra en muchos de los lagos y ríos de los páramos ecuatorianos. En las caminatas que se alargan a varias jornadas, vale la pena incluir unos pocos metros de hilo nylon y un par de anzuelos. No hay nada más agradable que una trucha fresca para romper la poco sabrosa rutina de los alimentos deshidratados o enlatados.

Trucha Arco Iris (Salmo airdneri) en la laguna de Atillo

PASOCHOA

Aparte de las altas cumbres de volcanes que han
conseguido fama para sí y para el país, hay
numerosas montañas pequeñas pero no por ello
menos disfrutables. No existe el reto de la
escalada vertical o las largas horas de superar el
cansancio y el frío para lograr una cumbre
escurridiza. En cambio, para aquellos que tienen la
suerte de saber apreciar los olores de las plantas
del páramo y los bosques naturales; de observar
las aves y los animales; de sentirse en comunión
con la naturaleza, estas montañas se transforman
en importantes cumbres.

Patos de montaña, Atillo

Atardecer en el Pasochoa

LAS LAGUNAS DEL ALTAR

El Altar es un cerro majestuoso de delgadas aristas y afilados picos. Igualmente, es la montaña más difícil de ascender y la que más retos ofrece fuera de la ruta normal. Es además, a decir de muchos, la más hermosa. Pero la belleza del Altar no está solo en sus empinados glaciares o en sus verticales paredes, sino que se riega por sus páramos adyacentes, que por efecto de los glaciares antiguos están llenos de valles planos y lagunas. Por alguna razón desconocida, cada una de las lagunas contiene aguas de diferente color. Así sus nombres son: laguna Azul, laguna Pintada, laguna Amarilla (la que ocupa la caldera del volcán), etc.

Laguna de Mandur en el Altar

CAYAMBE

Con 5.800 metros sobre el nivel del mar, el Cayambe es la tercera montaña más alta del Ecuador. Es también el más septentrional de los grandes volcanes. La Línea Ecuatorial pasa muy cerca de la cumbre. Tal vez el Cayambe sea el único sitio en la superficie del planeta donde latitud y temperatura marcan cero grados.
El primero en llegar a la cumbre del Cayambe fue Edward Whymper en el año 1880. En esos tiempos, la aproximación a la montaña se la hacía a caballo desde la población de Cayambe, situada al sur-este de la montaña. En realidad, a Cayambe se llegaba a caballo desde Quito, y para llegar a Quito se debía cabalgar desde las planicies de la costa. Hoy en día el camino carrozable nos ahorra mucho del tiempo y de las experiencias que vivió Whymper. Sin embargo, cuando se sube a la cumbre se experimenta, al igual que debió haberlo sentido Whymper, el deseo de observar desde allí arriba la inmensa llanura amazónica que se extiende hacia el este. La verdad es que es muy difícil estar presente en uno de los pocos momentos en que las nubes provenientes de la selva no lo cubran todo. Whymper bajó de la cumbre sin haber logrado su deseo. Muchas veces nosotros hemos regresado en igual condición. Sin embargo, cuando el día está claro y la marcha es rápida, de la cima del Cayambe se llega a ver la gran hoya del Amazonas. Seguramente más allá de las fronteras del Ecuador, el verde de la selva se extiende hasta perderse en la redondez de la Tierra.
El espectáculo no se limita al este. Desde esta cumbre he llegado a contar más de otras veinte montañas situadas alrededor del Cayambe. Mucho es lo que se ve también de las cumbres del resto de volcanes ecuatorianos, pero la vista desde el Cayambe es mucho más amplia y ventajosa.
En el transcurso de esta afición a las alturas, uno tiene la oportunidad de volver frecuentemente a ciertos sitios como la cumbre del Cayambe.

Vista desde el Cayambe, de izquierda a derecha: el Antizana (5.705 m.), el Quilindaña (4.877 m.), El Chimborazo (6.310 m.) y el Cotopaxi (5.897 m.)

Vista desde el Cayambe , al fondo el Reventador y a la derecha el Saraurco (4.677 m)

Algunas veces, en estas repetidas visitas, se puede contar con inmejorables condiciones climáticas. Sin embargo la visión, y por lo tanto la experiencia, nunca son las mismas. Los tonos de los colores, las posiciones de las pocas nubes, la hora del día y, sobre todo, las apreciaciones, cambian infinitamente.

LOS TOPONIMOS

La mayoría de los nombres de montañas u otros accidentes geográficos del país llevan nombres en quichua. No se conoce a ciencia cierta si esta lengua fue impuesta por la conquista Inca, o si era ya el idioma conocido entre los aborígenes que ocupaban las tierras del actual territorio del Ecuador. Estos toponimos han sido desfigurados a través del tiempo en cuanto a su pronunciación, por lo que las explicaciones de su significado caen a veces en el campo especulativo. Sin embargo, es interesante conocer a través de su significado lo que los volcanes debieron haber representado para los antiguos. Así tenemos que Cayambe se puede transformar al quichua *Caya-Ambi*, que significa ''camino del mañana''.
Antisana proviene de *Anti*, palabra quichua para montaña, (que también es el origen del nombre de la cordillera de los Andes) y *sana*, que significa mineral. Chimborazo podría ser interpretado como ''sitio nevado que hay que cruzar'': del quicha *chimbana*, que significa cruzar (chimbak, el imperativo del verbo), y *razu*, nieve. La explicación es lógica si tenemos en cuenta que para ir de un valle a otro los indígenas tenían que cruzar los páramos que rodean al Chimborazo, que son muy altos y en otros tiempos cubiertos de nieve.
El nombre del vecino del Chimborazo, el Carihuairazo, se traduce *Cari*, hombre, *huaira*, viento y *razu*, nieve. Altar o Capac-Urco significa Cerro Majestuoso. Hay otros toponimos que no proceden del quichua, sino de lenguas más antiguas o de las habladas por gente de la selva. En esta categoría están el Cotopaxi, los Ilinizas, el Pasochoa y el Sangay, entre otros.

El Cayambe (5.790 m.) visto desde el refugio

El Cayambe visto desde la vía de acceso al refugio

ANTIZANA

Aunque es solamente la cuarta elevación del Ecuador, el Antizana es una montaña grande. Las vías que conducen a la cumbre máxima o a los otros picos son de gran belleza y discurren por glaciares empinados y muy quebrados. Las cornisas, los seracs y las grietas son grandes y abundantes.

El Antizana es una de esas cumbres esquivas a las cuales no siempre se puede llegar con facilidad. Existe una grieta que corre prácticamente alrededor de la cumbre. No siempre hay paso. La grieta es ancha y los puentes se caen continuamente. En esos casos no hay otra alternativa que descender hasta el fondo y volver a escalar por la pared contraria. Al principio es fácil, la pared es de hielo duro, los ''grampones'' y la ''piqueta'' muerden bien. Pero conforme se sube, el hielo cede paso a la nieve poco compacta que generalmente termina en una cornisa. Aquí los instrumentos funcionan mal y se precisa de mucho ingenio y esfuerzo para salir adelante. El resto del grupo pasa por la cuerda directamente del un labio de la grieta al otro. Sin embargo, el mayor atractivo del Antizana está talvez en sus páramos. Son extensos y se tienden en todas las direcciones alrededor de la montaña, aislándola de los valles de la sierra y del oriente. En estas llanuras altas se cría ganado, pero la mayor extensión de ellas permanece prácticamente ''intocada''. Sobre todo los páramos hacia el este de la montaña albergan una fauna riquísima en variedades propias del páramo y las zonas boscosas frías. Se encuentran dantas de montaña, osos de anteojos y pumas. Hay cóndores, perdices y una gran variedad de aves acuáticas. Los conejos son abundantes y con ellos los rapaces también han prosperado. Es tierra de venados y más abajo lo es de aves exóticas y colibríes de mil resplandores. Los páramos del Antizana son como debieron haber sido los otros páramos del Ecuador.

Vista del Antizana (5.705 m.) desde el valle de los Chillos al Oeste

El Antizana, vertiente occidental

Cumbre sur del Antizana, vista desde el Oeste

Cruce de una grieta con poleas

CHIMBORAZO

El Ecuador tiene un pasado un tanto especial con respecto a viajeros ilustres, sobre todo científicos. Venían por diferentes razones: habían naturalistas, artistas, geógrafos, geólogos, guerreros y exploradores. Sin embargo, era una época en que el conocimiento científico no era muy profundo. Las especializaciones tenían fronteras débiles y los ''viajeros'' un espíritu sediento de conocimiento. Estos exploradores por lo general se interesaban y sabían tanto de arqueología como de medicina, de volcanismo como de zoología. A la vanguardia de la ciencia, recorrían el mundo alimentando las jóvenes teorías o creando nuevas sobre la estructura del mundo y los cimientos de la vida.

El Chimborazo era en ese entonces considerado la montaña más alta del mundo. Las gigantes cumbres de los Himalayas y los Andes del sur todavía no habían sido exploradas. Esto era un imán poderoso. A sus páramos y laderas heladas se atrevían los viajeros científicos, no solo en pos del estudio sino también de la cumbre. Iban desprovistos del más básico equipo y acompañados de una gran ignorancia sobre las alturas y sus consecuencias sobre el organismo. Nunca antes alguien había subido tan alto. El récord aumentaba lentamente y con mucho esfuerzo de unos a otros. Humboldt estuvo en el Chimborazo en el año 1802 acompañado del francés Bossingault y el ecuatoriano Montúfar. Intentaron llegar a la cumbre por la vertiente sur-este de la montaña. Al cabo de muchas penalidades, la arista por donde subían se cortó bruscamente impidiéndoles el paso a la cumbre. Humboldt calculó que habían llegado a una altura de 5.881 metros.

Al final de su vida, con orgullo Humboldt escribía: ''de todos los mortales era yo él que había subido más alto en todo el mundo''. Cuando en 1859 posaba para su último retrato, lo hizo sin ninguna de sus condecoraciones, pero el fondo de la pintura fue el Chimborazo. De todas las hazañas que logró durante casi un siglo de vida, siempre consideró la ascensión al Chimborazo como la más grande.

Fue en enero de 1880 cuando el explorador inglés Edward Whymper, acompañado por los hermanos italianos Carrel, llegó a la cumbre por primera vez.

El Chimborazo (6.310 m.), vertiente suroeste vía Whymper

Actualmente, cuando se asciende al Chimborazo, se sigue la misma ruta que utilizó Whymper. Arriba en la cumbre, atravesando los glaciares o recorriendo los páramos que rodean al Chimborazo, se va por la senda de estos grandes hombres. Por ahí pasaron Alexander Von Humboldt, Edward Whymper, Simón Bolívar, Hans Meyer, Frederic E. Church, La Condamine y tantos otros.

La ligera forma ovalada de la tierra, debida al achatamiento de los polos y el ensanchamiento de su circunferencia en la línea del Ecuador, hace posible que el Chimborazo sea la montaña más alta del mundo, si es que la medimos desde el centro de la Tierra.

Cuando llegamos a la cumbre del Chimborazo, no solamente estamos en el sitio más saliente del globo, sino además en el punto de la superficie de la Tierra más cercano al Sol.

EL CARIHUAIRAZO

El Carihuairazo es un pequeño volcán de 5.020 metros. Su cumbre está al borde de las ruinas de una inmensa caldera. Seguramente debido a su proximidad con el Chimborazo, que se encuentra a pocos kilómetros al sur, tiene grandes y agrietados glaciares. El Carihuairazo resulta perfecto como introducción para quienes por primera vez se internan en la alta montaña, y para los que están buscando un sitio de aclimatación para continuar a elevaciones más altas.

Chimborazo (6.310 m.) y Carihairazo (5.020 m.)

Carihuairazo (5.020 m.), cara sureste

QUILINDAÑA

Hacia el oriente y escondido a la sombra del Cotopaxi, está el Quilindaña. Es un volcán antiquísimo en el que la naturaleza, a través de la erosión, ha esculpido un espigado pico. Los glaciares que lo cubrían en otros tiempos hoy han dejado de existir y paredes de buena roca han quedado al descubierto. Tiene la fama de seguir a El Altar, en lo que a dificultad se refiere.

ANTIZANA

Las montañas, último reducto de la superficie de la tierra que habían escapado a la mano ''constructora'' del hombre, están empezando a ceder. El deterioro de las aguas contaminadas de mares y ríos, de selvas taladas, de valles sin vestigio de flora y fauna salvaje se va extendiendo como un cáncer hacia las montañas. Los Ilinizas, el Cayambe, el Cotacachi, el Tungurahua y tantos otros cerros ya no son los sitios apartados y placenteros que solían ser. Con idea equivocada del progreso que cede a presiones económicas y políticas, estamos acabando con los últimos sitios salvajes, inclusive en los parques nacionales, baluartes naturales supuestamente protegidos. Los perjudicados vendrán en las futuras generaciones y vivirán sin alternativa en un mundo urbanizado.

El Quilindaña (4.877 m.), cara noroeste

En los páramos del Antizana

EL CAYAMBE

Es una montaña que, además de ser alta, es muy grande. Tiene glaciares empinados y muy quebrados y una mala fama gris. Se la tiene por peligrosa, de grietas traicioneras y avalanchas asesinas, y dueña de un mal tiempo constante. Varios accidentes alimentan la historia del Cayambe. Tal vez el más influyente y más grave de todos ocurrió en 1974. En esa ocasión, una veintena de andinistas fue arrastrada por una avalancha provocada por el desprendimiento de una placa, cerca de la cumbre. En su carrera vertiginosa hacia abajo, el alud fue dejando algunas de sus víctimas semienterradas en la nieve. Abajo, una inmensa grieta abría sus labios y el alud se precipitó en su interior. En él iban varios montañeros y toneladas de nieve. Algunos lograron salvarse a último momento, cuando la cuerda a la que estaban amarrados se enganchó en las asperezas de hielo al borde de la grieta.

Todo el estruendo se calmó de repente y con el silencio de la montaña nació la angustia de los andinistas por saber de sus compañeros desaparecidos. El saldo fue tres muertes.

En realidad el Cayambe no es ni más ni menos peligroso que otras montañas. El riesgo existe en el montañismo como en muchas otras actividades. Es parte esencial de la aventura. En la gran mayoría de las situaciones difíciles, corresponde al montañero saber distinguir la tenue línea que divide la audacia de la temeridad. Son pocos los casos -como el de este relato- en que la situación está fuera del poder humano.

El Cayambe , vertiente suroeste por donde normalmente se realiza el ascenso a la Cumbre

TUNGURAHUA

Hace algunos años la manera más fácil de subir al Tungurahua era comenzando la ascensión desde la pequeña ciudad de Baños, situada a 1.800 metros al pie del volcán y sobre el cañón del río Pastaza. La cima de la montaña está a 5.200 metros: era un gran desnivel el que había que superar.
Sin embargo, se trataba de una ascensión especial: la caminata comenzaba en un clima subtropical, cruzaba bosques y prados naturales; más arriba, la vegetación cedía -y cede también hoy- bruscamente el paso a extensos arenales y roquedales que acababan en un pequeño glaciar, hoy desaparecido. Este conducía al borde del cráter humeante del volcán todavía activo. Luego se alcanzaba la cumbre subiendo por otro glaciar. La cima era la culminación de uno o varios días de gran variedad.
Hoy en día el progreso ha trazado por las laderas del Tungurahua un camino para vehículos, que cruza como una herida la antigua colada de lava y vegetación subtropical.
Arriba, en el arenal, antes solo visitado por el viento, se levanta hoy, rompiendo la silueta del Tungurahua, una antena repetidora de televisión. Está cerca de una cruz que conmemora la muerte de varios montañeros pioneros que desafiaron la naturaleza en sitios apartados. Ahora esa pequeña y oxidada cruz, que fue puesta en el borde de un glaciar que ya no existe, es también un humilde símbolo de nostalgia.

El Tungurahua (5.016 m.) flanco norte

EL ALTAR

Por donde se mire, El Altar es la montaña más difícil de subir en el Ecuador. Las paredes que caen al interior de la caldera llegan a tener alrededor de 1.000 metros de desnivel. La pared norte del Obispo, el pico más alto del Altar, ha sido escalada hasta la fecha en una sola ocasión. La ascensión duró cinco días con sus noches. Los bivouacs se realizaron en incómodas y estrechas repisas a lo largo de la vía. Esta ascensión realizada por una cordonada de un escalador ecuatoriano y un francés es sin lugar a dudas la más difícil hecha en el país. Es un trofeo conseguido con esfuerzo y mucho riesgo. Los relatos de los primeros intentos por abrir las vías en la caldera del Altar o por repetirlas, casi siempre tienen tintes dramáticos.

Pared norte de el Obispo, el Altar

PERCANCE

En una ocasión intentábamos forzar la ruta hacia la
cumbre abriendo una vía por la pared norte. Era ya
tarde pero estábamos alto; habíamos subido más
de 300 metros desde la base y entrábamos al
segundo tercio de la pared. El compañero que
entonces punteaba se hallaba muy por encima de
nosotros negociando un tramo difícil. Súbitamente se
desprendió de la pared, junto con una enorme piedra,
y en unos segundos inmensamente largos él siguió
su caída. Ajustamos las cuerdas para aguantar el
templón y evitar lo peor e instintivamente nos
pegamos a la roca. Antes de sentir la fuerza de la
cuerda, llegó la piedra que se había desprendido
desde arriba. El impacto fue duro. Me rompió el
fémur. Un poco más y sigo junto con la piedra, que
para ese momento ya se proyectaba al vacío.
El resto es un cuento largo y doloroso. Tuvimos que
improvisar un bivouac con lo que llevábamos
puesto, en una repisa de escasos centímetros de
ancho. Era una noche fría de luna llena. Al día
siguiente, con la ayuda de amigos montañeros que
estaban al pie de la pared, emprendí un descenso
doloroso y lleno de peripecias. Son riesgos
inherentes a la montaña y también a la vida, pues
más vale morir gastado que morir oxidado.

Pared norte de el Obispo, el Altar

EL ALTAR

El Altar es tal vez la montaña más bella del Ecuador. Es un paraíso para los montañeros y también para quien le guste caminar por los páramos y observar las montañas desde la base. Las ruinas de este extinto volcán -que en su tiempo debió haber alcanzado una altura mayor a la del Chimborazo-, sus glaciares colgantes, las paredes inmensas, los valles y bosques del páramo y una infinidad de lagunas, hacen de esta comarca un deleite para el viajero.

En el sendero que conduce hacia el Altar

ATARDECER EN EL ANTISANA

Las fotografías de los crepúsculos son generalmente
fáciles de tomar. No se necesita un ojo especial
para sobrecogerse con la belleza producida en esos
cortos momentos. Todo se reduce a conseguir un
buen ángulo y un tiempo de exposición correcto. Sin
embargo, es más complicado lograr estar presente
en el momento correcto. En el Antisana, la montaña
de la fotografía, el crepúsculo llega todos los días,
todos los años, al igual que en las otras montañas.
Pero aunque lo he mirado con mucha frecuencia,
jamás lo he visto vestirse de un rojo tan intenso.
Si es impresionante mirar la montaña en esos
momentos, es todavía mayor la emoción de
encontrarse uno mismo allí arriba, formando parte de
ese instante de extinción temporal.

Cotopaxi (5.897 m.), vertiente norte

La vertiente oeste del Antizana, a la izquierda la cumbre máxima (5.075 m.), a la derecha la cumbre-sur

ILINIZA NORTE

Cuando el sol va cediendo paso a la noche y la oscuridad extiende su negro manto por los valles bajos, hay un corto momento en el que solamente las montañas quedan iluminadas. Son minutos de gran hermosura en los que los cerros se levantan inmensurablemente sobre los valles. Son tan altos y tan lejanos que si no fuera por la luz de alguna ciudad cercana, parecería que los valles no existieran y el mundo estuviera solo compuesto de afiladas cumbres.

En un cortísimo momento, este fenómeno de luz y colores se presenta todavía más exagerado. En ese instante que no es día ni es noche, cuando el sol ya se ha ido pero todavía las estrellas no aparecen martilladas en el cielo, ya ni la montaña se ve. Solo las crestas y los campos nevados aparecen suspendidos en una visión que se desvanece lenta pero inexorablemente.

El Iliniza Norte visto desde el refugio de la misma montaña

El Iliniza Norte visto desde el Iliniza Sur

EL CLIMA

El Ecuador es un país de microclimas. Los valles se
alternan entre secos y verdes con apenas pocos
kilómetros entre unos y otros. Algo parecido sucede
en las altas montañas. Se puede estar en el
Cotopaxi en un sol canicular y una temperatura
elevada, mientras en el Sincholagua, a menos de
diez kilómetros de distancia, se avecina el mal
tiempo, o en los Ilinizas, poco más allá de veinte
kilómetros en línea recta, se desata una tormenta de
proporciones mayores. Es por esto que aunque se
ascienda fuera de los meses tradicionales de buen
tiempo -noviembre, diciembre, enero, mayo y junio-
se puede con un poco de suerte encontrar el mejor
clima posible. Pero también lo contrario es muy
factible.

Vertiente norte del Cotopaxi

El Sincholagua (4.900 m.) pequeño volcán al noreste del Cotopaxi

EL ALTAR CON LA LUNA

Los indígenas lo llamaban Cápac-Urco, que en castellano quiere decir Cerro Majestuoso. Los españoles a su llegada lo rebautizaron con el nombre de El Altar. Sin embargo, el viajero que visite esta montaña se dará cuenta de que los dos nombres le van muy bien: significan lo mismo. Los nombres castellanos de las diferentes cumbres de el Altar son también de origen religioso: la cumbre máxima se llama Obispo y la que le sigue es el Canónigo. Las dos encierran los extremos del arco que va alrededor de la caldera. La cumbre más apartada es la del Tabernáculo; entre ésta y las anteriormente mencionadas están las Monjas y los Frailes. Cuando se es testigo de la salida de la luna llena sobre el Altar se ve que toda la montaña parece un sagrario.

El Obispo (5.320 m.), cumbre máxima del Altar en el crepúsculo, vista desde el valle de Collanes

COTOPAXI

El Cotopaxi se levanta como un pacífico gigante. Es todavía un volcán activo, aunque desde el año 1877 ha permanecido en quietud. Históricamente, la actividad del volcán se remonta a 1534, año en que los conquistadores comenzaron a aventurarse por los Andes del Ecuador. Cuentan los cronistas de la época que la resistencia indígena se había organizado en las llanuras al oeste del Cotopaxi; allí estaban dando fiera batalla a los españoles, cuando el Cotopaxi erupcionó y sembró el pánico en ambos bandos: entre los indios, porque lo temían y veneraban como a un dios y vieron en su repentina actividad la manifestación de la ira divina, y entre los rudos soldados ibéricos, ignorantes por completo de tales fenómenos naturales. Después de este episodio, el Cotopaxi permaneció dormido por varios siglos, en los que despertaba ocasionalmente en pequeñas erupciones que provocaban el miedo y sembraban la confusión. Hasta que en junio de 1877 erupcionó repentina y violentamente; las corrientes de lava expulsadas por el cráter en medio de inmensas columnas de humo derritieron los glaciares y campos nevados de la montaña causando colosales aluviones. Una de estas avalanchas de lodo y piedra destruyó buena parte de la villa de Latacunga. Siguió por el cauce natural de los ríos y, tres horas más tarde, destruyó un puente levantado a cincuenta metros sobre el nivel normal del río Pastaza, para luego perderse por los cañones que conducen a la entonces casi desconocida región amazónica. Otro aluvión de las mismas características bajó por el lado norte siguiendo los desfiladeros de los ríos Pita y Guayllabamba. La creciente logró llegar con fuerza hasta Esmeraldas, en la costa del Pacífico, distante 250 kilómetros a vuelo de pájaro del Cotopaxi.

Cráter del Cotopaxi

Vertiente norte del volcán Cotopaxi

VISTA DE LOS ANDES

A diferencia de las grandes cordilleras del Mundo,
como los Alpes, los Himalayas e inclusive los
mismos Andes del sur, en los Andes ecuatorianos
las montañas están bastante separadas unas de
otras. Si desde la cumbre de una montaña miramos
alrededor, vemos que la nieve irrumpe en el paisaje
solo en ocasiones. Nos damos cuenta de que los
espacios entre montañas son mucho más grandes
que ellas mismas. Esto hace que el paisaje andino
ecuatoriano sea singular: volcanes nevados
diseminados en los anchos lomos de la Cordillera y
generosos espacios abiertos.

El Chimborazo visto desde la cumbre del Cotopaxi

ESTALACTITAS

Lo primero en impresionarnos de las montañas es
su tamaño. En general, mientras más altas son,
más nos asombran. Desde luego, los glaciares, las
siluetas, la disposición de las paredes y muchas
otras circunstancias hacen que haya montañas que
consideremos más bellas que otras.
Sin embargo, la belleza en ellas no está solamente
en lo desmesurado, ni en lo que captamos desde el
valle a simple vista. Está también en los detalles,
las piedras y los musgos; la textura de la nieve, el
camino que siguen los arroyos o las estalactitas
brillantes al amanecer.

Detalle de la cumbre Nicolás Martínez del Chimborazo

LA LUZ

La luz nos llega a los Andes del Ecuador de una manera muy especial, seguramente porque la altiplanicie está más cerca al Sol y por la forma un poco ovalada que tiene la Tierra. Los rayos solares caen perpendiculares y permiten que a mediodía uno pueda caminar sin que la proyección de su sombra lo persiga o viceversa. A esa hora en el Ecuador la sombra no existe. Además, aquí en los Andes se está relativamente alto y la atmósfera es tenue y la polución escasa. Los rayos del Sol pasan con mucha libertad, y así fecundan los campos, las laderas y los cerros para literalmente ''dar a luz'' los más diversos tonos y colores.

Hacienda El Refugio, Ilinizas

Atardecer con el Antizana

LOS REFUGIOS

Existen varios refugios de montaña en el Ecuador. Estas sencillas pero valiosas construcciones prestan abrigo y posada a los montañeros que van en pos de la cumbre, y a quienes deseen pasar el día o el fin de semana al borde de los glaciares. Los hay en el Cayambe, el Cotopaxi, el Guagua Pichincha, los Ilinizas, el Chimborazo y el Tungurahua. En todas estas montañas hay caminos carrozables que llegan muy cerca de los refugios, en algunos casos hasta el mismo patio, como en el Cayambe y el Guagua Pichincha. Son bien cuidados y mantenidos por entidades estatales o por clubes de andinismo privados.

Sin embargo, y pese al gran servicio que prestan, sería deseable que no se propagaran por todas las montañas, en especial sobre los caminos de acceso, pues esto roba paisaje, esfuerzo y aventura al andinismo.

CAMPAMENTOS

Existen varias razones para pasar la noche en la montaña: una de ellas es situarnos a una menor distancia de la cumbre; otra, cuando no tenemos más alternativa, y la tercera -tal vez la más importante- por el placer de pasar una noche al aire libre.

Hoy en día vivimos en un mundo altamente competitivo y el montañismo también se ha visto contagiado por esta actitud. Hay montañeros modernos que se afanan por hacer la cumbre en un tiempo récord, evitándose así pasar la noche en la montaña. En realidad, gran parte del placer del montañismo radica en las noches de campamento y, todavía más, en los bivouacs en las repisas de las paredes.

Este campamento en el valle de Atillo y junto al río del mismo nombre habla algo acerca de lo poca cosa que las excursiones serían para el viajero sin estos momentos de tranquilidad y sosiego: después de largas y cansadas jornadas, se vuelve de pronto claro el placer de viajar entre la niebla del amanecer.

Vista desde el interior del refugio del Cayambe

Campamento en el valle de Atillo

Campamento en la cumbre sur del Antizana

EL ALTAR

En el Ecuador existen varios ejemplos de volcanes que en un momento de su historia han explosionado con gran violencia. Conos casi perfectos se han despedazado por la presión interna que se ha abierto camino repentinamente, haciendo volar literalmente un flanco entero de la montaña. El resultado es casi siempre una inmensa caldera, rota por el lado más débil y rodeada a modo de herradura por las ruinas de los flancos menos afectados. Hasta hace poco se atribuía estos drásticos cambios en el relieve de los volcanes a diversas causas. Una de las teorías explicaba que el hundimiento de las laderas sucedía al quedar vacías de magma las chimeneas y las cámaras internas. Pero la reciente erupción del Santa Elena en América del Norte cambió bruscamente no solo la apariencia de ese volcán, sino también las ideas de los geólogos.

El Obispo, cumbre máxima del Altar (5.320 m.) visto en la marcha de aproximación desde el oeste

Así, el Pasochoa, los Ilinizas, el Corazón, y el Altar -probablemente el más impresionante de todos, tal como se ve en la fotografía adyacente- son volcanes que han terminado su actividad de esa manera violenta. Quién sabe si los conos volcánicos del Cotopaxi, Tungurahua, Reventador o Sangay, que actualmente se encuentran en plena actividad, algún día sigan un destino parecido.

HIELO

En el hielo, la escalada es distinta que en las paredes de roca. Aquí, con unos herrajes claveteados, los grampones y una piqueta en la una mano y un martillo en la otra, se sube apenas arañando las placas congeladas. El hielo es dinámico y cambia continuamente de forma bajo la presión de su propio peso. La misma pared es cada vez distinta, las rutas varían y el placer de esos escaladores frágiles y diminutos se acentúa.

Camino a la Cumbre Sur del Antizana

EL PAISAJE

En la alta montaña parte del placer se origina en el paisaje que se tiende a los pies de uno. Otra parte está en el paisaje inmediato, en buscar primero con la mirada y después con el cuerpo el camino, entre grietas, cercas y cornizas que luego nos ha de conducir a la cumbre.

Amanecer en las laderas del Cotopaxi

Camino a la cumbre del Cotopaxi

EL AMANECER

En el Ecuador, el Sol cae con fuerza. Los rayos llegan perpendiculares sobre las cumbres y los glaciares. En un día sin viento se puede estar con el torso desnudo en la cumbre del Cotopaxi a 6.000 metros, sin sentir frío, inclusive con algo de calor.

Por esta razón, la nieve al mediodía en las montañas ecuatorianas es muy suave; se camina con dificultad y a veces hundiéndose hasta la cintura. Los puentes de nieve y el hielo sobre las grietas se vuelven frágiles y las probabilidades de avalancha aumentan.

Por ello, se debe salir hacia la cumbre muy temprano: se deja la carpa o el refugio en las primeras horas después de la medianoche. Y se camina en la oscuridad durante largas y silenciosas horas. Se sube con la ayuda de linternas frontales o a la luz de la luna y las estrellas. A esta hora las montañas son plateadas y los valles entre ellas parecerían no existir. A lo lejos titilan, acurrucadas en un rincón de la oscuridad, las luces de las ciudades.

Al ascender, la costra del hielo endurecido por el frío de la noche se quiebra a cada paso bajo el peso del cuerpo. Solo el tintineo de una estalactita que rueda por la ladera helada o el sonido seco y profundo que viene de las entrañas del glaciar anunciando el nacimiento de una grieta, rompen el silencio casi total.

Cuando el sol ya va haciendo su aparición, la montaña crece, adquiere altura; los valles, las aristas y las quebradas toman cuerpo y le añaden otra dimensión a un mundo y a un tiempo que parecerían tener solo dos. El paisaje se llena de color, en un espectáculo solo revelado en las alturas.

Amanecer en el Cotopaxi, al fondo el Antizana

Vista del amanecer desde la cumbre del Tungurahua (5.616 m.)

COTOPAXI

Guiar en la montaña es una actividad completamente distinta a ascender o escalar con los amigos de siempre. Fuera del estado del tiempo, de la contextura de la nieve y el buen estado físico de los clientes, existe siempre el factor humano que es, en la mayoría de los casos, determinante para hacer de la ascensión una experiencia agradable. Las diferencias de idioma, de cultura y en algunos casos de edad, son pocas veces un obstáculo. Más bien, suelen ser lo contrario: puentes de interés mutuo. Ahí, en la fotografía, a la sombra del Cotopaxi, compartimos el frío de las primeras horas de la mañana entre amigos.

LA CUMBRE

¿Qué significa la cumbre? Es una pregunta que se oye tanto de labios ajenos como de pensamientos propios. En realidad, cada cumbre tiene diferente sentido según la montaña a la que pertenece o a las circunstancias en las que ha sido alcanzada. A veces, se regresa al valle con la ''cumbre en el bolsillo'', como un trofeo logrado en una escalada particularmente difícil. En otras ocasiones, ni la montaña ni su cima fueron la fortaleza inexpugnable que imaginamos en nuestros sueños de escalador: se llega a ella casi sin haber luchado. La satisfacción no es la misma.
Hay también que reconocer que ciertas cumbres no son más que la liberación de tener que seguir subiendo. Pero, sobre todo, son sitios hermosos que sirven de excusa para frecuentar la montaña.

Amanecer en las cercanías de la cumbre del Cotopaxi

En la cumbre del Cotopaxi, atrás el Antizana

LA ESCALADA

Al avanzar el escalador por una gran pared y sortear las dificultades que se le van presentado, va al mismo tiempo creando una línea, una ruta. Esta trayectoria es igual a la firma que estampa un artista al terminar su obra. La manera de usar el cuerpo, de moverse, abrirse, estirarse; la forma de utilizar la configuración de la roca o el hielo, las salientes y los planos, las hendiduras; el conocimiento y uso selectivo de una técnica, que en exceso nos robaría en arte y sobre todo en aventura, hacen de la escalada una actividad creativa, más todavía cuando no ha sido hecha antes.

Escalar es un arte diferente, poco compartido. Es además efímero. No tardarán el viento o la nieve en borrar las huellas que han quedado como firma y la experiencia solo subsistirá en la memoria de los protagonistas. Tampoco existe partitura. Sin embargo, la creación regresa al montañero cada vez que pone sus manos sobre una pared.

Al estar en una pared uno tiene la impresión de estar solo, aunque vaya acompañado. La mayor parte del tiempo permanecemos solos. Las escaladas son largas y sobre todo muy intensas. Los cortos momentos de reunión en las estrechas repisas apenas logran romper esa sensación de soledad. Entonces, en la privacidad de nuestros pensamientos, inquietudes y temores, la ascensión se transforma en un monólogo y la pared comienza a parecerse a un espejo, a un inmenso reflejo en donde uno se ve en sus más íntimos detalles.

Iliniza Sur (5.266 m.)

Chimborazo, cumbre Nicolás Martínez

Iliniza Sur, vía este

CUMBRE NICOLAS MARTINEZ

La escalada da una sensación de extrema libertad
cuando se desafían la ley de la gravedad y la fuerza
del instinto, que nos aleja a un mundo vertical al
cual no pertenecemos. Si se está respaldado por
habilidad, fuerza y conocimiento, se tiene la certera
noción de que no existe lugar en las montañas donde
no podamos encumbrarnos y transformar en realidad
nuestros sueños de posar las plantas de las botas
ahí donde un día posamos nuestra mirada. La roca
en el Ecuador no es de la mejor calidad para la
escalada. La mayoría es de origen volcánico: lava
que se ha enfriado muy de prisa y no ha llegado a
cristalizarse. Moverse en este terreno deleznable
no es cosa fácil y sobre todo es peligroso. Las
clavijas y dados no agarran bien y cuando agarran
hay veces que salen junto con la piedra donde
estaban sostenidos. Con el sol de la mañana, el
hielo, que ha mantenido ''encementadas'' a las
rocas en las paredes, comienza a desleírse y una
lluvia de piedras preciosas se precipita pared abajo.
En la tarde el proceso es inverso, pero el resultado
es el mismo: el sol se esconde y el agua que se
escurre por entre las grietas de la roca se congela.
Al hacerse hielo sólido se expande y empuja a las
piedras sueltas y nuevamente las avalanchas llenan
los corredores, la chimenea y las canaletas. Son
muy escasas las paredes de roca de buena calidad
para la escalada.

Escalada en las cercanías del Tungurahua

NATURALEZA

En su carrera loca por el progreso, el hombre moderno vive apartado de la naturaleza. Al amparo de la relativa seguridad de las ciudades, se ha aislado del mundo y ha olvidado las luces y los colores del amanecer, los ruidos y los olores del bosque. Las luces de las avenidas, los edificios y las plazas han opacado el resplandor de las estrellas. Hay quienes, rebelándose, navegan sin motor al reencuentro del viento y otros que cruzan mares y estepas conociendo las tormentas y el sol. La montaña y la escalada nos permiten el acceso a un mundo intocado por la mano del hombre. Son montañas, paredes y riscos que permanecen igual a lo que eran hace miles de años, en un contacto directo con la madre tierra. Sin instrumentos de por medio, se sube paso a paso en un diálogo íntimo. Las montañas, últimos reductos de la superficie de la tierra que habían escapado a la mano ''constructora'' del hombre, están empezando a ceder. El espectáculo de las aguas contaminadas de mares y ríos, de selvas taladas, de valles sin vestigio de flora y fauna salvajes, se va extendiendo como un cáncer hacia las montañas. Los Ilinizas, el Cayambe, el Cotacachi, el Tungurahua y tantos otros cerros ya no son los sitios placenteros y apartados que solían ser. Con la idea equivocada de un progreso que cede a presiones económicas y políticas, estamos acabando con los últimos sitios salvajes, inclusive en los parques nacionales, baluartes naturales supuestamente protegidos por el Estado. Los perjudicados serán las futuras generaciones, que se verán obligadas a vivir sin alternativa en un mundo urbanizado.

Lajas rocosas en la vertiente sur del Cotopaxi

QUILIMAS

Cuando se escala y se está lejos del suelo, uno se siente en un mundo diferente, en un mundo vertical. Los horizontes están arriba y abajo. La meta y la procedencia también están hacia arriba o desde abajo. Las oportunidades de descanso, los obstáculos difíciles, los problemas superados, las dudas, los temores y las alegrías, todo está arriba o abajo.

Atrás la neblina cubre un vacío insondable y adelante la roca es una pared sólida que lo ocupa todo a los lados. La vista alcanza poco más allá de la punta de los dedos aferrados a la pared. Es un mundo de dos dimensiones que recobra en la cumbre la que le falta.

En la pared occidental del Quilimas (4.711 m.)

AYAPUNGO

Los indios que habitan los apartados páramos del Ayapungo son bravos y huraños. Cuenta la historia que llegaron a estas tierras huyendo de la barbarie de la conquista española. Desde entonces, hace ya más de cuatro siglos, viven aislados del resto de los habitantes de la serranía ecuatoriana en un exilio voluntario. Son los últimos legítimos y puros descendientes del reino de los puruháes. Entre ellos se comunican en quichua y los pocos que hablan español lo hacen de una manera muy rudimentaria.

Los viajeros que llegan por estos apartados páramos reciben un mensaje claro y conciso: los extraños no son bienvenidos en estas comarcas. El mismo espíritu libre que les obligó a remontarse, hace que hoy desconfíen de cualquier visitante que a juicio suyo nada tiene que hacer por ahí. Desconfían de los pescadores y cazadores. Desconfían todavía más de los pocos andinistas que se aventuran en zonas para ellos prohibidas, habitadas solamente por seres de leyenda y fábula.

El Soroche (4.698 m.). El pico más alto de la región del Ayapungo

Chagras de los páramos de Ayapungo

Cumbre del Achipungo (4.630 m.), Ayapungo.

La ignorancia alimenta la imaginación. Alrededor de
los viajeros se tejen historias fantásticas, cargadas
de tanta magia que vencen a cualquier lógica. A
ellos, que apenas tienen el suficiente tiempo para
procurarse el escaso sustento diario, es difícil, y al
mismo tiempo triste, explicarles esto de la afición a
las altas cumbres.

ACHIPUNGO

Son escasas en el Ecuador las montañas que no
tienen origen volcánico. Entre ellas están de norte a
sur: el Saraurco, la cordillera de los Llanganatis con
el Cerro Hermoso o Yurac Llanganati, el macizo del
Cubillín, el Quilimas y los picos de la zona del
Ayapungo. Todas estas montañas de roca
cristalizada dura están en el ramal oriental de la
Cordillera. En ellas la escalada es segura. Los
"agarres" de las manos son sólidos y los
"apoyos" para los pies también resisten. Las
clavijas muerden la roca con firmeza y cuando se
les martilla, el hierro "canta" el sonido típico de
cuando están seguras. En estas condiciones el
peligro se conjura con la habilidad y el conocimiento.
La escalada es entonces una escuela de vida y no
de muerte, como la hacen aparecer noticias
sensacionalistas basadas en criterios ignorantes.

Río que nace en la laguna de Atillo, Ayapungo

Caballos semisalvajes en los páramos de Ayapungo

ANIMALES SEMI SALVAJES

En la gran mayoría de los páramos pastan animales
en estado de semisalvajismo. Hay vacas, caballos
y cerdos que tienen dueño, pero que llevan una vida
similar a la que llevaban sus salvajes antecesores.
Algunos de estos animales se remontan a rincones
apartados del páramo y adquieren su completa
libertad eludiendo los rodeos anuales que realizan
los chagras para recogerlos. Generalmente, ya se
trate de caballos o bovinos, andan en manadas
conformadas por un macho, varias hembras y sus
crías. Los machos más débiles son desplazados y
recorren solitariamente los páramos. Los toros
cimarrones, que suelen tener ancestros de sangre
brava, son de mucho cuidado.

Cumbre menor del Achipungo atrás de la laguna de Azablan en los páramos de Osogoche

EL SANGAY

Es una ascensión diferente. La aproximación al Sangay toma varias jornadas. En los campamentos, el silencio de la noche se rompe de vez en cuando: son los sordos bramidos del volcán. Si el cielo está despejado, se ve el resplandor de la lava incandescente que salta en incontables puntos luminosos y fluye por las laderas del volcán. En la proximidad de la montaña se encuentran vestigios de grandes corrientes de lava que en épocas recientes bajaron desde el cráter rellenando canaletas y quebradas.

El cono, que se eleva dos mil metros sobre su base, se levanta gris sobre la vegetación del páramo y los chaparros que lo rodean. Su base es la frontera de un desierto: ninguna planta, ningún animal, solo ceniza y lava. El paisaje es desolado y la niebla lo vuelve aún más oscuro, tétrico e inhóspito. La humedad de la neblina produce un chisporroteo al contacto con ciertas piedras, como el agua al regarse sobre las brasas de carbón. Las piedras están aún calientes: deben haber sido expulsadas por el cráter hace poco.

Vista de la primera jornada hacia el Sangay

El Sangay (5.230 m.) desde el campamento base

A medida que se va subiendo, el ruido se hace cada vez más intenso con cada erupción. Densas columnas de humo negro se elevan al cielo. La lava rebasa impetuosa el borde del cráter y en cámara lenta se derrama al rojo vivo sobre las laderas grises. Tiemblan el suelo y la frágil esperanza de tener la buena fortuna al lado de uno.

Aquí se respira incertidumbre. El peligro no se conjura como en una escalada. Poco importan el conocimiento, la técnica o la habilidad física. No soy yo ni mis compañeros los que llevamos las riendas de nuestro destino.

Más arriba, en las cercanías de la cumbre, pese a sus 5.200 metros, el aire se vuelve caliente. Hay gran cantidad de fumarolas, apesta a azufre y el suelo está muy caliente. A ratos se resquebraja y deja entrever en su interior el fluido viscoso del magma. Las piedras saltan del cráter como el canguil en una olla. Unos pasos más y por fin el cráter: espectáculo grandioso e indescriptible. Subir conscientemente al Sangay es una temeridad, una hermosa temeridad.

En las cercanías de la cumbre del Sangay

Colada de lava al pie del cono, Sangay

LLANGANATIS

Atrás de los Andes volcánicos, al oriente del Cotopaxi y del Quilindaña, se inicia una franja de montañas graníticas. Van paralelas a la Cordillera y llegan hasta el norte del Tungurahua. Son los Llanganatis. Es una región llena de picos escarpados, numerosas lagunas, profundas quebradas y espumantes cascadas. Con un impulso que parecería tomar fuerza en las inmensas llanuras de la cuenca amazónica, la selva trepa a los Llanganatis; viene como una marea verde; llena las quebradas y los estrechos valles; sube por las laderas y remonta los lomos de las aristas y las cumbres de los riscos y se descuelga luego por las fisuras en la roca de las paredes verticales, en un terreno que parecería vedado a sus raíces. Y solamente muy alto, ahí donde pasa la frontera que divide a los Llanganatis de los Andes volcánicos, la selva cede paso primero al chaparro y finalmente a los paisajes abiertos del páramo. Enganchado a las altas ramas de la vegetación selvática parecería que viene arrastrado un mar de nubes. La humedad trepa a los Llanganatis igual como se encaraman las olas en las rocas de la playa. Arriba, en las cumbres del Cerro Hermoso, el Topo o los Cerros de Mulatos, la arremetida de las nubes se rompe en torrenciales aguaceros y luminosas tormentas eléctricas.

Este es el panorama de un país mágico y agreste, alejado de las ciudades y los valles poblados, de los altos volcanes andinos y de las rutas del turismo. Aquí en estas regiones se nos presenta la aventura en su dimensión original. Los Llanganatis encierran el misterio y el reto que el Chimborazo o el Cotopaxi, hoy desprovistos de novedad, debieron haber brindado a sus primeros exploradores, hace ya más de un siglo. Y, más modestamente, a mí, cuando por primera vez llegué a sus cumbres, impulsado por una eterna niñez, siempre sedienta de nuevos paisajes, experiencias, olores y sabores.

Sin embargo, la mayoría de las personas que se han internado en estas desoladas montañas no han venido motivadas por el solo deseo de la aventura: Han llegado en busca del escondite donde se supone están ocultos los tesoros de los Incas. La historia, que se pierde en la bruma de la leyenda,

Río Mullo en las estribaciones de los Llanganatis

Campamento en el interior de las selvas de los Llanganatis

El Cerro Hermoso o Yurac Llanganati (4.630 m.), el punto más alto de la cordillera de los Llanganatis

nos cuenta que al ser sentenciado el inca Atahualpa, una parte importante del oro destinado a su rescate que aún no había llegado a manos españolas, fue devuelto a las tierras de Quito. Luego fue escondido por los generales del ejército del Inca, sin que jamás se supiera en qué sitio. Parece que durante los primeros años de la colonia, un español de apellido Valverde, casado con una indígena noble, había caído en desgracia económica. El padre de su mujer le dio a conocer la manera de llegar a un sitio en donde se hallaba escondido un gran tesoro. Seguramente el anciano indígena estuvo presente cuando se ocultó el oro. Valverde regresó a España convertido en persona acaudalada. Pasó el tiempo y cuando sintió la muerte próxima dejó al Rey Carlos V, su soberano, la siguiente guía para llegar a las montañas de los Llanganatis:
"Situados en el pueblo de Píllaro, preguntad por la hacienda de La Moya, y dormid (la primera noche) a buena distancia sobre ella; y preguntad allí por la montaña de Guapa; desde cuya cima, si el día fuese despejado, mirad hacia el este, con la espalda hacia el pueblo de Ambato..."

Una de las tantas lagunas de la región de los Llanganatis

En la cumbre del Cerro Hermoso (4.630 m.), mirando hacia el este

Vista hacia la llanura Amazónica

OYACACHI

Al sur del Cayambe y además muy cerca y casi paralelo a la Línea Ecuatorial, hay un chaquiñán o camino de ''a pie''. Existe desde que la historia lo recuerda. Lo debieron haber usado los indígenas en sus intercambios comerciales. El sendero trasmonta la cordillera oriental de los Andes, uniendo la altiplanicie con las tierras bajas de la selva amazónica. Hay quienes, debido sobre todo a la antigüedad de este camino, creen que la expedición española del siglo XVI, encabezada por Francisco de Orellana, cruzó la cordillera por este sitio. Orellana partió desde Quito en busca del ''País del Dorado y la Canela''. Después de algunos meses y en una de las aventuras más extraordinarias de la historia de la humanidad, cruzó el continente y descubrió el río Amazonas. Con el mismo empeño y en una barcaza construida en las riberas del gran río, en compañía de un puñado de hombres, logró también cruzar el Atlántico y llegar a España.

No se conoce con certeza si Orellana bajó por este sendero o no. Pero de todos modos, el caminarlo nos lleva muy cerca de lo que debió haber sido el recorrido de estos rudos hombres y sus acompañantes indígenas.

El camino nace en la población serrana de Cangahua, bordeando las esquinas de los cultivos. De las casas de adobe se llega hasta la comuna de Cochapamba, desde donde el sendero se interna en las tierras del páramo. Cruzando pantanos y subiendo lomas, se alcanza el paso más alto de

Flores de nabo en Cochapamba

Construcción de Oyacachi

todo el viaje, a 4.040 metros. Para atrás se admira la arrugada geografía del callejón interandino; al norte está la mole nevada del Cayambe y para adelante, al este, después de las estribaciones de la cordillera, descansa la inmensa planicie amazónica. Ochocientos metros más abajo y al borde de la selva está el pueblito de Oyacachi. Es una mezcla de gente y costumbres donde se funden dos épocas distintas. Son yumbos subidos de las selvas orientales e indígenas de poncho del altiplano andino que, apartados del resto de habitantes del Ecuador, viven hoy como lo hicieron sus antepasados en la época de Orellana.

El camino prosigue hacia abajo de Oyacachi y se interna en la floresta tropical. Puentes colgantes y cables cruzan varios ríos. Después de un par de jornadas se arriba al Chaco, población situada a 1.600 metros sobre el nivel del mar, a la orilla de la carretera que conduce a la región petrolera del Ecuador.

Cruce del río Oyacachi

Cauce del río Oyacachi

LAS MONTAÑAS DE LA SELVA

Tal vez la gran ventaja de ser andinista en el Ecuador radica en la diversidad que nos presentan las montañas. Aquí la aventura está a otro nivel; las reglas del juego son distintas. Las botas impermeables de caña alta, la ropa liviana y el filudo machete conforman el equipo. El escenario es la floresta tropical de la cuenca amazónica: clima cálido y lluvioso, paisaje limitado a la espesura del follaje y abundante y alborotada vida animal y vegetal.

Aquí prevalecen los insectos, las aves multicolores y las orquídeas. Se camina al ritmo del golpe del machete, vadeando o siguiendo la ribera de caudalosos ríos, lejanos descendientes de sus delgados antepasados serranos. Uno debe abrirse paso por las trochas abiertas por las dantas o por encima de los troncos caídos, vencidos por plantas más sanas o más jóvenes.

El Reventador

Río Reventador, camino al Reventador

Al contrario de la quietud y el silencio del páramo, aquí el ruido es constante: chicharras coreando por millares un himno a la selva; ranas atrayendo a su pareja con poderoso canto; pájaros de agresivos gorgojeos en defensa de su territorio; monos que asustados y al mismo tiempo curiosos golpean ramas y elevan agudos chillidos; torrentes cargados de agua que desbocados corren cuesta abajo. La vida en la selva es vertiginosa. La oruga de hoy será mariposa mañana y el cadáver todavía caliente de un mamífero será ya esqueleto en pocas horas. Las hormigas trabajan en ejércitos. Sus legiones recorren la selva y son capaces de llevarse al nido todas las hojas de un árbol de considerable tamaño, dejándolo desnudo, en cuestión de una noche. Si acaso en su camino se encuentran con una carpa plantada por el incauto viajero, intentarán hacer lo mismo con la tela del cobertizo y las vituallas del interior.

Trompetero. Flancos orientales de la Cordillera

Cascada de San Rafael, río Coca

Toucan (Aulacorhynhus solcatus, familia Ranfástidos) Flancos orientales de la Cordillera

Hormigas cortadoras de hojas en pleno trabajo

Libélula

Campamento en el Achipungo

En el interior de la caldera del Altar

CRONOLOGIA DE
LAS PRIMERAS CONQUISTAS

Iliniza
Mayo 4 de 1880, fue conquistado por primera vez por los italianos Louis y Jean Antonie Carrel.

Carihuairazo
Junio 29 de 1880, el inglés Edward Whymper, los hermanos Carrel, italianos, y los ecuatorianos David Beltrán y Francisco Campaña, realizan la primera ascensión.

Chimborazo
Enero 4 de 1880, Edward Whymper y los hermanos Carrel conquistan por primera vez la cumbre.

Cayambe
Abril 4 de 1880, Edward Whymper y los hermanos Carrel logran la cumbre por primera vez.

Antizana
Marzo 9 de 1880, el inglés Edward Whymper y los italianos Louis y Jean Antonie Carrel son los primeros en lograr esta cima.

Cotopaxi
Noviembre 28, 1872. El alemán Wilhelm Reiss y el colombiano Angel Escobar, son los primeros en llegar al cráter.

Tungurahua
Febrero 1873, los alemanes Wilhelm Reiss y Alfons Stuebel, son los primeros en conseguir la cumbre.

Quilindaña
Febrero 23 de 1952. Los ecuatorianos Juan Elizalde y Arturo Eichler, el colombiano Horacio López Uribe, el francés Paul Ferret y los italianos Alfonso Vinci, Franco Anzil y Giovanni Vergani efectuaron la primera ascensión.

Sangay
Agosto 4 de 1929. Los norteamericanos Robert T. Moore, su hijo Paul Austin y Lewis Thorme efectúan la primera ascensión al cráter.

Altar
Julio 7 de 1963. Los italianosFerdinando Gaspard, Mariano Tremonti y Claudio Zardini logran la primera conquista de esta díficil cumbre.

Cumbre Nicolás Martínez, Chimborazo

ELEVACIONES
DE LOS ANDES ECUATORIANOS

CORDILLERA OCCIDENTAL	Metros		Pies	
Chiles	4.720		15.483	
Yanaurco	4.538		14.900	
Cotacachi	4.939		16.200	
Pululahua	3.250		10.650	
Casitahua	3.514		11.500	
Ruco Pichincha	4.698		15.400	
Guagua Pichincha	4.784	4.710*	15.691	15.448*
Atacazo	4.457		14.600	
Corazón	4.786		15.700	
Iliniza	5.266	5.175*	17.300	16.974*
Quilotoa	4.010		13.150	
Quillu Urcu	4.572		14.960	
Quispicha	4.538		15.000	
Casaguala	4.465		14.640	
Carihuairazo	5.020		16.460	
Chimborazo	6.310	6.100*	20.700	20.008*

CORDILLERA ORIENTAL				
Mirador	3.831		12.560	
Malgus	3.944		12.930	
Cayambe	5.790		18.990	
Saraurcu	4.677		15.340	
Puntas	4.463		14.630	
Tabla Rumi	4.622		15.160	
Antizana	5.705		18.710	
Sincholahua	4.900		16.070	
Cotopaxi	5.897	5.780*	19.340	18.958*
Quilindaña	4.877		16.000	
Cerro Hermoso	4.630	4.520*	15.210	14.825*
Tungurahua	5.016		16.450	
Altar	5.320		17.450	
Quilimas	4.711		15.450	
Sangay	5.230		17.150	
Colay	4.685		15.360	
Achipungo	4.630	4.600*	15.186	15.088*
Soroche	4.698		15.400	

NUDOS	Metros	Pies
MOJANDA		
Fuya Fuya	4.261	13.980
Imbabura	4.630	15.180
TIOPULLO		
Pasochoa	4.200	13.980
Rumiñahui	4.722	15.490
SANANCAJAS		
Igualata	4.432	14.530
TIOCAJAS		
Sillicajas	4.100	13.450
AZUAY		
Quinzacruz	4.480	14.700

* Estas alturas fueron registradas por el autor en diferentes ocasiones y con diferentes altímetros.
Pese a esto cada nueva medición tendió a confirmar la anterior

*Este libro se terminó de imprimir el
27 de febrero de 1987, en los
talleres gráficos de Imprenta
Mariscal, Diego de Almagro 1245,
Quito, Ecuador.*

*Separación de colores: Celio Tayo M.
Impresión: Marcelo Rubio O.*